THE BEST GUITAR SONGBOOK EVER

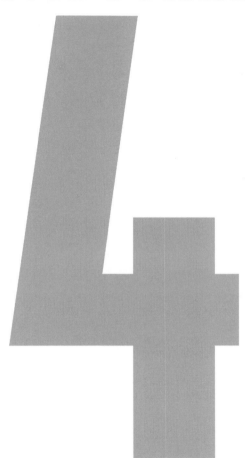

4

Wise Publications
London/New York/Paris/Sydney/Copenhagen/Madrid

G000123782

Exclusive Distributors:
Music Sales Limited
8/9 Frith Street,
London W1V 5TZ, England.
Music Sales Pty Limited
120 Rothschild Avenue
Rosebery, NSW 2018,
Australia.

Order No. AM954129
ISBN 0-7119-7218-4
This book © Copyright 1998 by Wise Publications
Visit the Internet Music Shop at
http://www.musicsales.co.uk

Book design by Chloë Alexander
Photographs courtesy of London Features International

Printed in the United Kingdom by
Caligraving Limited, Thetford, Norfolk.

Your Guarantee of Quality
As publishers, we strive to produce every book to the highest commercial
standards. The book has been carefully designed to minimise awkward
page turns and to make playing from it a real pleasure. Particular care has been
given to specifying acid-free, neutral-sized paper made from pulps which have not
been elemental chlorine bleached. This pulp is from farmed sustainable forests
and was produced with special regard for the environment. Throughout, the
printing and binding have been planned to ensure a sturdy, attractive publication
which should give years of enjoyment. If your copy fails to meet our high
standards, please inform us and we will gladly replace it.

Music Sales' complete catalogue describes thousands of titles and is available in
full colour sections by subject, direct from Music Sales Limited. Please state your
areas of interest and send a cheque/postal order for £1.50 for postage to:
Music Sales Limited, Newmarket Road, Bury St. Edmunds, Suffolk IP33 3YB.

CONTENTS

BON JOVI

STING

BLUR

PAUL WELLER

THE STONE ROSES

THE LEVELLERS

SUEDE

Relative Tuning

The guitar can be tuned with the aid of pitch pipes or dedicated electronic guitar tuners which are available through your local music dealer. If you do not have a tuning device, you can use relative tuning. Estimate the pitch of the 6th string as near as possible to E or at least a comfortable pitch (not too high, as you might break other strings in tuning up). Then, while checking the various positions on the diagram, place a finger from your left hand on the:

5th fret of the E or 6th string and **tune the open A** (or 5th string) to the note (A)

5th fret of the A or 5th string and **tune the open D** (or 4th string) to the note (D)

5th fret of the D or 4th string and **tune the open G** (or 3rd string) to the note (G)

4th fret of the G or 3rd string and **tune the open B** (or 2nd string) to the note (B)

5th fret of the B or 2nd string and **tune the open E** (or 1st string) to the note (E)

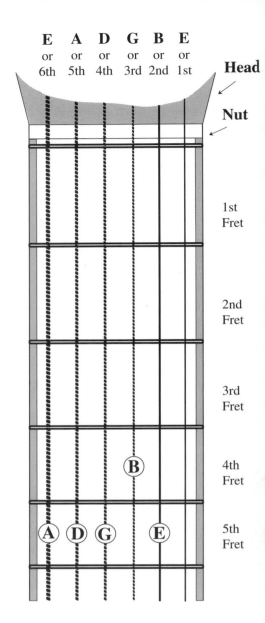

Reading Chord Boxes

Chord boxes are diagrams of the guitar neck viewed head upwards, face on as illustrated. The top horizontal line is the nut, unless a higher fret number is indicated, the others are the frets.

The vertical lines are the strings, starting from E (or 6th) on the left to E (or 1st) on the right.

The black dots indicate where to place your fingers.

Strings marked with an O are played open, not fretted.

Strings marked with an X should not be played.

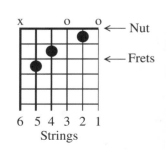

4

ALWAYS

Words and Music by Jon Bon Jovi

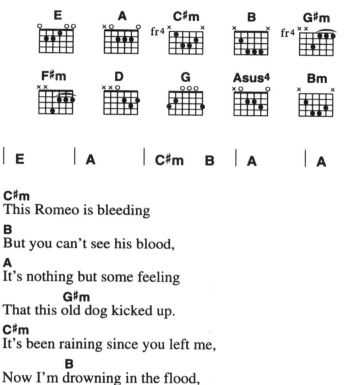

Intro | E | A | C#m B A | A |

Verse 1

C#m
This Romeo is bleeding

B
But you can't see his blood,

A
It's nothing but some feeling

      G#m
That this old dog kicked up.

C#m
It's been raining since you left me,

     B
Now I'm drowning in the flood,

A
You see I've always been a fighter,

     G#m   A B
But without you I give up.

C#m
Now I can't sing a love song

     B
Like the way it's meant to be,

   A
Well I guess I'm not that good anymore,

  B   A B
But baby that's just me.

Chorus 1

    E   B   F#m C#m B
Yeah I will love you, baby, always.

    E   B   A C#m B
And I'll be there forever and a day, always.

Bridge 1

E
I'll be there till the stars don't shine,

      B
Till the heavens burst and the words don't rhyme,

     A
I know when I die you'll be on my mind,

     B   A B C#m A
And I'll love you always.

Verse 2

           C#m
Now your pictures that you left behind

        B
Are just memories of a different life,

       A
Some that made us laugh, some that made us cry,

        G#m
One that made you say goodbye.

        C#m
What I'd give to run my fingers through your hair,

      B
To touch your lips, to hold you near,

       A
When you say your prayers, try to understand

    G#m   A   B
I've made mistakes, I'm just a man.

        C#m
When he holds you close, when he pulls you near,

      B
When he says the words you've been needing to hear,

      A
I'll wish I was him, 'cause the words are mine

    B   A   B
To say to you till the end of time.

Chorus 2   As Chorus 1

Bridge 2

   D   G   Asus⁴ A   D
If you told me to cry for you,   I could,

                G   Asus⁴ A   Bm
If you told me to die for you,   I would,

                  G
Take a look at my face,

                 A
There's no price I won't pay

To say these words to you.

Guitar solo

| E | B | F#m | C#m B |

| E | B | A | B A B |

        A
Well there ain't no luck in these loaded dice,

      B
But baby if you give me just one more try,

      A
We can pack up our old dreams and our old lives,

      B   A   B
We'll find a place where the sun still shines.

Chorus 3   As Chorus 1

Bridge 3

      E
I'll be there till the stars don't shine,

      B
Till the heavens burst and the words don't rhyme,

      A
I know when I die you'll be on my mind,

      B   A B
And I'll love you always.

Ad lib. solo ‖: E | B | C#m B | A :‖ *Repeat to fade*

BED OF ROSES

Words and Music by Jon Bon Jovi

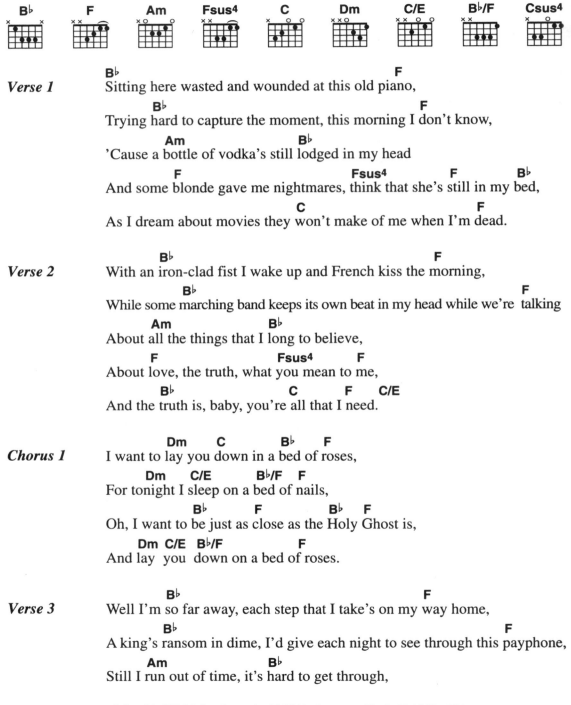

Verse 1

          B♭   F
Sitting here wasted and wounded at this old piano,

              B♭   F
Trying hard to capture the moment, this morning I don't know,

                Am   B♭
'Cause a bottle of vodka's still lodged in my head

              F   Fsus4   F   B♭
And some blonde gave me nightmares, think that she's still in my bed,

                             C   F
As I dream about movies they won't make of me when I'm dead.

Verse 2

          B♭   F
With an iron-clad fist I wake up and French kiss the morning,

              B♭   F
While some marching band keeps its own beat in my head while we're talking

                Am   B♭
About all the things that I long to believe,

              F   Fsus4   F
About love, the truth, what you mean to me,

              B♭   C   F   C/E
And the truth is, baby, you're all that I need.

Chorus 1

          Dm   C   B♭   F
I want to lay you down in a bed of roses,

          Dm   C/E   B♭/F   F
For tonight I sleep on a bed of nails,

               B♭   F   B♭   F
Oh, I want to be just as close as the Holy Ghost is,

          Dm C/E B♭/F   F
And lay you down on a bed of roses.

Verse 3

          B♭   F
Well I'm so far away, each step that I take's on my way home,

          B♭   F
A king's ransom in dime, I'd give each night to see through this payphone,

                Am   B♭
Still I run out of time, it's hard to get through,

                  F   **Fsus4**   **F**
Till the bird on the wire flies me back to you,
        B♭   **C**   **F** **C/E**
I'll just close my eyes and whisper, baby, blind love is true.

                  Dm   **C**   **B♭** **F**

Chorus 2   I want to lay you down in a bed of roses,
                  Dm **C/E**   **B♭/F** **F**
For tonight I sleep on a bed of nails,
                    B♭   **F**   **B♭** **F**
Oh, I want to be just as close as the Holy Ghost is,
             Dm C/E B♭/F   **F**   **C/E**
And lay you down on a bed of roses.

                  B♭   **Csus4**   **C**

Middle   Well this hotel bar's hangover, whiskey's gone dry,
               F
The bar keeper's wig's crooked and she's giving me the eye,
               B♭
Well I might have said "Yeah",
                    C   **F**   **C/E**
But I laughed so hard I think I died.

Guitar solo | **Dm** **C B♭**| **F** | **Dm** **C/E B♭/F**| **F** |

                | **Dm** **C B♭**| **F** | **Dm** **C/E B♭/F**| **F** |

                  B♭   **F**

Verse 4   Now as you close your eyes, know I'll be thinking about you,
               B♭   **F**
While my mistress, she calls me to stand in her spotlight again,
               B♭   **F**
Tonight, I won't be alone, you know that don't mean I'm not lonely,
                Dm   **C/E**   **B♭/F**   **F**   **C/E**
I've got nothing to prove for it's you I'd die to defend.

                  Dm   **C**   **B♭** **F**

Chorus 3   I want to lay you down in a bed of roses,
                  Dm **C/E**   **B♭/F** **F**
For tonight I sleep on a bed of nails,
                    B♭   **F**   **B♭** **F**
Oh, I want to be just as close as the Holy Ghost is,
             Dm C/E **B♭/F**   **F**   **C/E**
And lay you down.

Chorus 4   As Chorus 1

YOU GIVE LOVE A BAD NAME

Words and Music by Jon Bon Jovi, Richie Sambora and Desmond Child.

C5   Ab5   Bb5   Eb5   Cm   F5   G5   Bb/C   G

N.C.
Shot through the heart and you're to blame,
N.C.
Darlin' you give love a bad name.

Instrumental | C5 Ab5 | Bb5 C5 | Ab5 Bb5 | Eb5 C5 | C5 Ab5 | Bb5 C5 |
| Ab5 Bb5 | Bb5 | **Cm(riff)** |

Verse 1

         Cm
The angel's smile is what you sell,

You promise me heaven then put me through hell.

The chains of love got a hold on me,

When passion's a prison, you can't break free.
F5   **Cm**
Oh, you're a loaded gun, yeah,
Bb5
Oh, there's nowhere to run,
F5   **G5**
No one can save me, the damage is done.

Chorus 1

  C5   **Ab5**   **Bb5**   **C5**
Shot through the heart and you're to blame,
Ab5   **Bb5**   **Eb5 C5**
You give love a bad name (bad name).
  C5   **Ab5**   **Bb5**   **C5**
I play my part and you play your game,
Ab5   **Bb5**   **Eb5 C5**
You give love a bad name (bad name),
     Ab5   **Bb5**   **Cm Bb/C Cm**
Yeah, you give love a bad name.

Verse 2

Cm
Paint your smile on your lips,

Blood red nails on your fingertips.

A schoolboy's dream, you act so shy,

Your very first kiss was your first kiss goodbye.
F5   Cm
Oh, you're a loaded gun,
B♭5
Oh, there's nowhere to run,
F5   G
No one can save me, the damage is done.

Chorus 2

C5   A♭5   B♭5   C5
Shot through the heart and you're to blame,
A♭5   B♭5   E♭5 C5
You give love a bad name (bad name).
C5   A♭5   B♭5   C5
I play my part and you play your game,
A♭5   B♭5   E♭5 C5
You give love a bad name (bad name),
A♭5   B♭5
Yeah, you give love.

Play 3 times

Guitar solo ‖: C5 A♭5 | B♭5 C5 :‖ C5 A♭5 | G | G |

Chorus 3

C5   A♭5   B♭5   C5
Shot through the heart and you're to blame,
A♭5   B♭5   C5
You give love a bad name (bad name).
  C5   A♭5   B♭5   C5
I play my part and you play your game,
A♭5   B♭5   E♭5 C5
You give love a bad name (bad name).

Chorus 4   As Chorus 3

A♭5   B♭5   E♭5
You give love, oh, oh, oh,
A♭5   B♭5   E♭5 C5
You give love a bad name.

Repeat to fade

KEEP THE FAITH

Words and Music by Jon Bon Jovi, Richie Sambora and Desmond Child

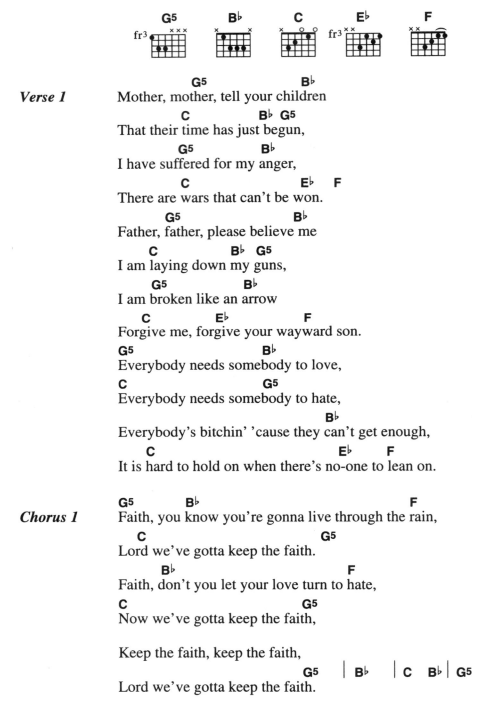

Verse 1

            G5   B♭
Mother, mother, tell your children
       C   B♭ G5
That their time has just begun,
        G5   B♭
I have suffered for my anger,
         C   E♭   F
There are wars that can't be won.
       G5   B♭
Father, father, please believe me
      C   B♭ G5
I am laying down my guns,
       G5   B♭
I am broken like an arrow
       C   E♭   F
Forgive me, forgive your wayward son.
G5   B♭
Everybody needs somebody to love,
C   G5
Everybody needs somebody to hate,
                      B♭
Everybody's bitchin' 'cause they can't get enough,
       C   E♭   F
It is hard to hold on when there's no-one to lean on.

Chorus 1

G5   B♭   F
Faith, you know you're gonna live through the rain,
   C   G5
Lord we've gotta keep the faith.
     B♭   F
Faith, don't you let your love turn to hate,
C   G5
Now we've gotta keep the faith,

Keep the faith, keep the faith,
                  G5 | B♭ | C B♭| G5
Lord we've gotta keep the faith.

Verse 2

        G5   **B♭**
Tell me baby, when I hurt you

        C   **G5**
Do you keep it all inside?

        G5   **B♭**
Do you tell me all's forgiven

           C   **E♭** **F**
Or just hide behind your pride?

G5   **B♭**
Everybody needs somebody to love,

C   **B♭** **G5**
Everybody needs somebody to hate,

                  B♭
Everybody's bitchin' 'cause the times are tough,

          C   **E♭**   **F**
Well it's hard to be strong when there's no-one to dream on.

Chorus 2

        G5   **B♭**   **F**
Faith, you know you're gonna live through the rain,

         C   **G5**
Lord we've gotta keep the faith.

        B♭   **F**
Faith, don't you know it's never too late,

        C   **G5**
Right now we've gotta keep the faith.

        B♭   **F**
Faith, don't let your love turn to hate,

        C   **G5**
Lord, you've gotta keep the faith.

G5
Keep the faith, keep the faith,

                    G5
Oh, we've gotta keep the faith,

        B♭   **C**
Keep the faith, keep the faith,

G5   **F**
Lord we've gotta keep the faith.

Guitar solo   ‖: **G5** | **B♭** | **C** | **G5** :‖   *Play 3 times*

               | **G5** | **B♭** | **C** | **E♭** **F** ‖ **G5**

Continued on next page...

I've been walking in the footseps of society's lies,

I don't like what I see no more, sometimes I wish I was blind.

Sometimes I wait forever, to stand out in the rain,

So no-one sees me cryin', tryin' to wash away this pain.

Sung

          G5   **B♭**   **C**   **B♭**
Mother, father says things I've done I can't erase,
G5
Every night we fall from grace,
 B♭   **C**
Hard with the world in your face,
     E♭ **F**   **G5**
Try to hold on, try to hold on.

Chorus 3

G5   **B♭**   **F**
Faith, you know you're gonna live through the rain,
C   **G5**
Lord we've gotta keep the faith.
   B♭   **F**
Faith, don't you let your love turn to hate,
C   **G5**
Now we've gotta keep the faith,
   B♭   **F**
Keep the faith, keep the faith,
     E♭   **F**
Try to hold on, try to hold on.

Repeat to fade

CAN'T STAND LOSING YOU

Words and Music by Sting

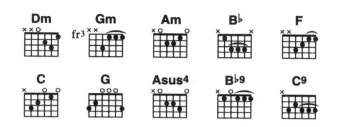

Intro
| Dm Gm | Dm Gm | Dm Gm | Dm Gm ‖

Verse 1

Dm   Am   Gm
Called you so many times today

Dm   Am   Gm
And I guess it's all true what your girl friends say,

Dm   Am   Gm
That you don't ever want so see me again,

Dm   Am   Gm
And your brother's gonna kill me and he's six foot ten,

B♭   F   B♭   F
I guess you'd call it cowardice

C   G   C   Asus4
But I'm not prepared to go on like this.

Chorus 1

B♭
I can't, I can't, I can't stand losing,

Gm
I can't, I can't, I can't stand losing,

Asus4   Dm   Gm
I can't, I can't, I can't, I can't stand losing you,

Dm   Gm Dm   Gm
   I can't stand losing you,

Dm Gm   Dm   Gm
   I can't stand losing you,

Dm Gm   Dm   Gm   Dm Gm
   I can't stand losing you.

Verse 2

     Dm   **Am**   **Gm**
I see you've sent my letters back,

     Dm Am   **Gm**
And my L.P. records and they're all scratched.

     Dm   **Am**   **Gm**
I can't see the point in another day,

     Dm   **Am**   **Gm**
When nobody listens to a word I say.

     B♭   **F**   **B♭**   **F**
You can call it lack of confidence

     C   **G**   **C**   **Asus⁴**
But to carry on living doesn't make no sense.

Chorus 2

     B♭
I can't, I can't, I can't stand losing,

     Gm
I can't, I can't, I can't stand losing,

     Asus⁴
I can't, I can't, I can't stand losing,

     B♭
I can't, I can't, I can't stand losing,

     Gm
I can't, I can't, I can't stand losing,

     Asus⁴
I can't, I can't, I can't stand losing.

Instrumental ‖: **B♭9** | **B♭9** | **C9** | **C9** :‖

Middle

     Dm
I guess this is our last goodbye,

And you don't care so I won't cry,

And you'll be sorry when I'm dead

And all this guilt will blow your head.

     B♭   **F**   **B♭** **F**
I guess you'd call it suicide

     C   **G**   **C**   **Asus⁴**
But I'm too full to swallow my pride.

Chorus 3

    B♭
I can't, I can't, I can't stand losing,

    Gm
I can't, I can't, I can't stand losing,

    Asus⁴
I can't, I can't, I can't stand losing,

    B♭
I can't, I can't, I can't stand losing,

    Gm
I can't, I can't, I can't stand losing,

    Asus⁴
I can't, I can't, I can't stand losing,

Outro

    C
‖: I can't, I can't, I can't stand losing,

    Asus⁴
I can't, I can't, I can't stand losing,

    B♭
I can't, I can't, I can't stand losing. :‖ *Repeat to fade*

ROXANNE

Words and Music by Sting

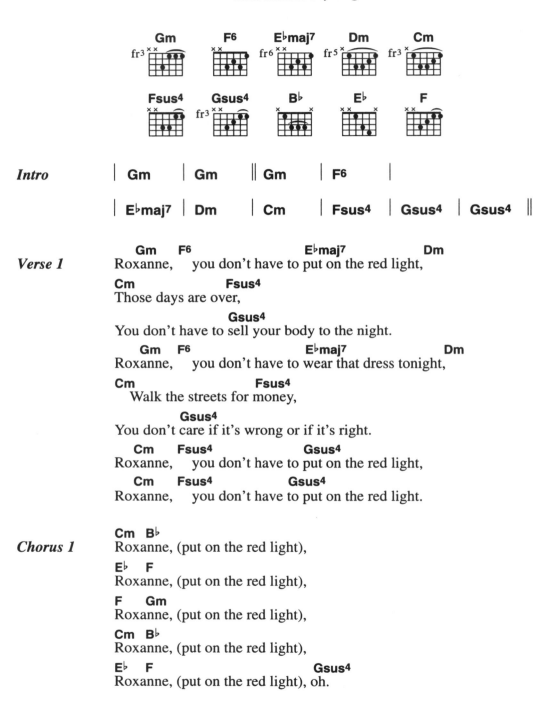

Intro

| Gm | Gm || Gm | F6 |

| E♭maj7 | Dm | Cm | Fsus4 | Gsus4 | Gsus4 ||

Verse 1

Gm　F6　　　　　　　　　E♭maj7　　　　　Dm
Roxanne,　you don't have to put on the red light,

Cm　　　　　Fsus4
Those days are over,

　　　　　　　Gsus4
You don't have to sell your body to the night.

　Gm　F6　　　　　　　　　E♭maj7　　　　　　　Dm
Roxanne,　you don't have to wear that dress tonight,

Cm　　　　　　　Fsus4
　Walk the streets for money,

　　　　　　Gsus4
You don't care if it's wrong or if it's right.

　　Cm　Fsus4　　　　　　Gsus4
Roxanne,　you don't have to put on the red light,

　　Cm　Fsus4　　　　　　Gsus4
Roxanne,　you don't have to put on the red light.

Chorus 1

Cm　B♭
Roxanne, (put on the red light),

E♭　F
Roxanne, (put on the red light),

F　　Gm
Roxanne, (put on the red light),

Cm　B♭
Roxanne, (put on the red light),

E♭　F　　　　　　　　　Gsus4
Roxanne, (put on the red light), oh.

Instrumental | Gm | Gm | Gm | Gm ‖

Verse 2

Gm   F6
I loved you since I knew ya,

E♭maj7   Dm
I wouldn't talk down to ya,

Cm   Fsus4
I have to tell you just how I feel,

Gsus4
I won't share you with another boy.

Gm   F6
I know my mind is made up,

E♭maj7   Dm
So put away your make up,

Cm   Fsus4
Told you once, I won't tell you again,

Gsus4
It's a crime the way...

Cm   Fsus4   Gsus4
Roxanne,   you don't have to put on the red light,

Cm   Fsus4   Gsus4
Roxanne,   you don't have to put on the red light.

Chorus 2

‖: Cm B♭
Roxanne, (put on the red light),

E♭   F
Roxanne, (put on the red light),

F   Gm
Roxanne, (put on the red light),

Cm B♭
Roxanne, (put on the red light). :‖ *Repeat to fade*

SO LONELY

Words and Music by Sting

C   G   Am   F   D   A   Bm

Verse 1

C   G   Am   F
Well someone told me yesterday

C   G   Am   F
That when you throw your love away

C   G   Am   F
You act as if you just don't care,

C   G   Am   F
You look as if you're going somewhere.

C   G   Am   F
But I just can't convince myself,

C   G   Am   F
I couldn't live with no-one else,

C   G   Am   F
And I can only play that part

C   G   Am   F
And sit and nurse my broken heart.

Chorus 1

C   G   Am   F
So lonely,   so lonely,   so lonely,

C   G   Am   F
So lonely,   so lonely,   so lonely,

C   G   Am   F
So lonely,   so lonely,   so lonely,

C   G   Am   F
So lonely,   so lonely,   so lonely.

Verse 2

C   G   Am   F
Now no-one's knocked upon my door

C G   Am   F
For a thousand years or more.

C   G   Am   F
All made up and nowhere to go,

C G   Am   F
Welcome to this one-man show.

C   G   Am   F
Just take a seat, they're always free,

C G   Am F
No surprise, no mystery.

C   G   Am   F
In this theatre that I call my soul,

C G   Am   F
I always play the starring role.

Chorus 2

C   G   Am   F
So lonely, so lonely, so lonely,

C   G   Am   F
So lonely, so lonely, so lonely,

C   G   Am   F
So lonely, so lonely, so lonely,

C   G   Am   F
So lonely, so lonely, so lonely.

Instrumental ‖: D | A | Bm | G :‖ *Play 7 times*

       | D | A | Bm | G ‖
                    So lonely,

Outro ‖: D   A   Bm   G
     so lonely, so lonely, so lonely. :‖ *Repeat to fade*

GIRLS AND BOYS

Words and Music by Damon Albarn, Graham Coxon, Alex James and David Rowntree

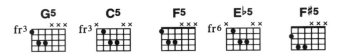

Verse 1

G5
Streets like a jungle,

C5
So call the police.

F5
Following the herd

E♭5   **F#5 F5**
Down to Greece on holiday.

G5
Love in the nineties

C5
Is paranoid.

F5
On sunny beaches

E♭5
Take your chances.

Chorus 1

F#5   **F5** **G5**
Looking for ‖: girls who are boys

Who like boys to be girls

C5
Who do boys like they're girls

Who do girls like they're boys.

F5
Always should be someone

E♭5   **F#5 F5**
You really love.   :‖

Instrumental   Chords as Chorus

Verse 2

G5
Avoiding all work

C5
'Cause there's none available.

F5
Like battery thinkers

E♭5   F♯5 F5
Count their thoughts on 1, 2, 3, 4, 5   fingers.

G5
Nothing is wasted,

C5
Only reproduced,

F5
You get nasty blisters.

E♭5
Du bist sehr schön

F♯5   F
But we haven't been introduced.

Chorus 2

‖: G5
Girls who are boys who like boys

C5
To be girls who do boys

Like they're girls who do girls

Like they're boys.

F5
Always should be someone

E♭5   F♯5 F5
You really love.   :‖

Instrumental   Chords as Chorus 2

Chorus 3   As Chorus 2

Repeat to fade

PARKLIFE

Words and Music by Damon Albarn, Graham Coxon, Alex James and David Rowntree

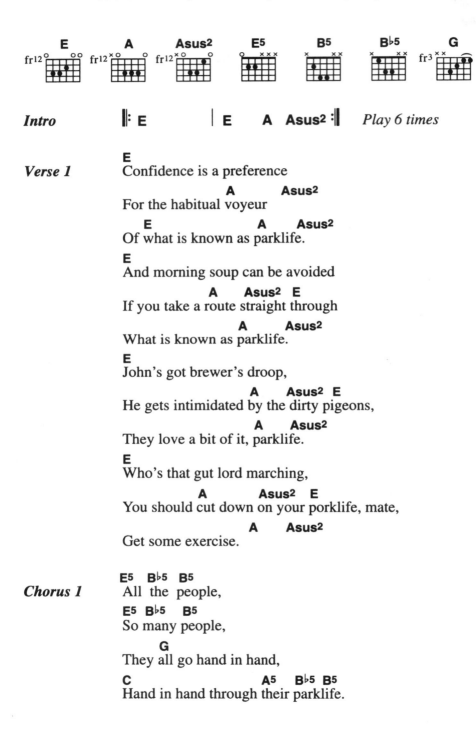

Intro   ‖: E | E   A   Asus² :‖   *Play 6 times*

Verse 1

E
Confidence is a preference
          A   Asus²
For the habitual voyeur
      E   A   Asus²
Of what is known as parklife.
E
And morning soup can be avoided
            A   Asus² E
If you take a route straight through
              A   Asus²
What is known as parklife.
E
John's got brewer's droop,
                A   Asus² E
He gets intimidated by the dirty pigeons,
                A   Asus²
They love a bit of it, parklife.
E
Who's that gut lord marching,
            A   Asus² E
You should cut down on your porklife, mate,
              A   Asus²
Get some exercise.

Chorus 1

E5 B♭5 B5
All the people,
E5 B♭5 B5
So many people,
        G
They all go hand in hand,
C   A5 B♭5 B5
Hand in hand through their parklife.

Instrumental | E | E A Asus² | E | E A E |

Verse 2

E
I get up when I want

A
Except on Wednesday

Asus² E   A   Asus²
When I get rudely awakened by the dustmen (parklife).

E
I put my trousers on,

A   Asus²
Have a cup of tea

E   A   Asus²
And I think about leaving the house (parklife).

E
I feed the pigeons,

A   Asus²
I sometimes feed the sparrows too,

E   A   Asus²
It gives me a sense of enormous well-being (parklife),

E
And then I'm happy for the rest of the day,

A   Asus²   E
Safe in the knowledge that there will always be

A   Asus²
A bit of my heart devoted to it.

Chorus 2   As Chorus 1

E   A   Asus² E   A   Asus²
     Parklife,   (parklife),
E   A   Asus² E   A   Asus²
     Parklife,   (parklife).

E
It's got nothing to do with your

A   Asus²
Vorsprung durch technic, you know

E
And it's not about your joggers

A   Asus²
Who go round and round and round.

Chorus 3   As Chorus 1

Repeat to fade

COUNTRY HOUSE

Words and Music by Damon Albarn, Graham Coxon, Alex James and David Rowntree

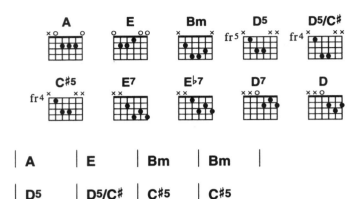

Intro | A | E | Bm | Bm |
| D5 | D5/C# | C#5 | C#5 |

Spoken   So the story begins.

Verse 1
A
City dweller,

E
Successful feller,

Bm
Thought to himself, "Oops,

I've got a lot of money,
D5   D5/C#   C#5
Caught in a rat race terminally,

A
I'm a professional cynic

E
But my heart's not in it,

Bm
I'm paying the price of living life at the limit,
D5   D5/C#   C#5
Caught up in the century's anxiety".

E
Yes, it preys on him,

He's getting thin.

Chorus 1

        A   **E⁷**   **E♭7**   **D⁷**
Now he lives in a house, a very big house in the country,

Watching afternoon repeats
                           A
And the food that he eats in the country.

He takes all manner of pills
                     E⁷   **E♭7** **D⁷**
And piles up analyst's bills in the country.

Ooh, it's like an Animal Farm,
               A
Lots of rural charm in the country.

Verse 2

        A
He's got morning glory
   E
And life's a different story,
Bm
Everything's going Jackanory,
D⁵   **D⁵/C♯**   **C♯5**
In touch with his own mortality.
       A   **E**
He's reading Balzac, knocking back Prozac,
      Bm   **D⁵**
It's a helping hand that makes you feel wonderfully bland,
        D⁵/C♯   **C♯5**
Oh, it's the century's remedy
     E
For the faint of heart, a new start.

Chorus 2

      A   **E⁷**   **E♭7**   **D⁷**
He lives in a house, a very big house in the country,

He's got a frog in his chest
                       A
So he needs a lot of rest in the country.

He doesn't drink, smoke, laugh,
               E⁷   **E♭7** **D⁷**
Takes herbal baths in the country,

But you'll come to no harm
                   A
On the Animal Farm in the country.

<pre>
E
In the country,

In the country,

In the country.
</pre>

Instrumental   Chords as Verse

<pre>
             A   E
Bridge   Blow, blow me out
                 D
             I am so sad,
                      A
             I don't know why.
             A   E
             Blow, blow me out
                 D
             I am so sad,
                      A
             I don't know why.
</pre>

Chorus 3   As Chorus 1

Chorus 4   As Chorus 2

Instrumental   Chords as Chorus   *Repeat to fade*

REMEMBER HOW WE STARTED

Words and Music by Paul Weller

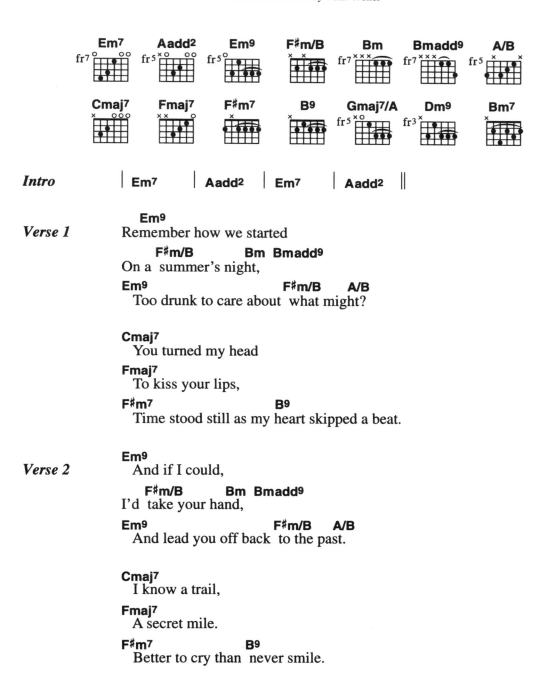

Intro | Em7 | Aadd2 | Em7 | Aadd2 ‖

Verse 1

Em9
Remember how we started

F#m/B   Bm Bmadd9
On a summer's night,

Em9   F#m/B   A/B
Too drunk to care about what might?

Cmaj7
You turned my head

Fmaj7
To kiss your lips,

F#m7   B9
Time stood still as my heart skipped a beat.

Verse 2

Em9
And if I could,

F#m/B   Bm Bmadd9
I'd take your hand,

Em9   F#m/B   A/B
And lead you off back to the past.

Cmaj7
I know a trail,

Fmaj7
A secret mile.

F#m7   B9
Better to cry than never smile.

`| Em7    | Aadd2   | Em7    | Aadd2   ||`

Verse 3

Em9
The moonlight shining
              F#m/B   Bm Bmadd9
Through your flowered curtains,
Em9   F#m/B   A/B
I think we knew it was us for certain.

Cmaj7
And just the thing
Fmaj7
That we hoped for,
F#m7   B9
Was building up into something more.

Bridge 1

Gmaj7/A   Dm9
Oh I've been searching, searching,
Gmaj7/A   Dm9
Trying to find the words to say.
Gmaj7/A   Dm9
Oh, I've been searching, searching,
Gmaj7/A   Cmaj7   Bm7   Em9
Trying to get back to the love we made yesterday.

Sax solo

`||: Em9    | F#m/B A/B | Em9    | F#m/B A/B :||`

Em7   Aadd2
Oh, I think we'll find a way,
Em7 Aadd2
I   think we'll find a way.

Verse 4

     Em9
Remember how we started
     F#m/B   Bm Bmadd9
On a summer's night?
Em9   F#m/B
Too young to know about what might.

Cmaj7
Just as well,
Fmaj7
As we might not
F#m7   B9
Of ever started on this course at all.

30

Outro

Em9
Remember how we started

    F#m/B
On a summer's night?

    Em9   **F#m/B**
Remember how we started?

    Em9
Remember how we started

     F#m/B
On a summer's night?

    Em9   **F#m/B**
Remember how we started?

Em9 F#m/B Em9 F#m/B
                          I think we'll find a way,
Em9   **F#m/B**   **Em9 F#m/B**
Oh, I think we'll find a way, yeah.

FOOT OF THE MOUNTAIN

Words and Music by Paul Weller

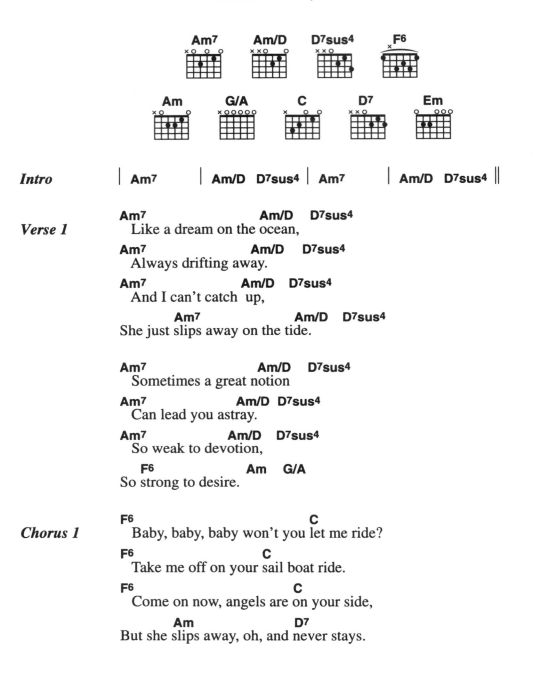

Intro | Am7 | Am/D D7sus4 | Am7 | Am/D D7sus4 ‖

Verse 1

Am7   Am/D D7sus4
Like a dream on the ocean,

Am7   Am/D   D7sus4
Always drifting away.

Am7   Am/D   D7sus4
And I can't catch up,

        Am7   Am/D   D7sus4
She just slips away on the tide.

Am7   Am/D D7sus4
Sometimes a great notion

Am7   Am/D D7sus4
Can lead you astray.

Am7   Am/D   D7sus4
So weak to devotion,

   F6   Am   G/A
So strong to desire.

Chorus 1

F6   C
Baby, baby, baby won't you let me ride?

F6   C
Take me off on your sail boat ride.

F6   C
Come on now, angels are on your side,

        Am   D7
But she slips away, oh, and never stays.

Instrumental | Am⁷ | Am/D D⁷sus⁴ | Am⁷ | Am/D D⁷sus⁴ |
| Am⁷ | Am/D D⁷sus⁴ | Am⁷ | Am⁷ ‖

Verse 2

Am⁷   Am/D D⁷sus⁴
Like mercury gliding,

Am⁷   Am/D D⁷sus⁴
A silver teardrop that falls.

Am⁷ Am/D D⁷sus⁴
And I can't hold on,

    Am⁷   Am/D D⁷sus⁴
Through my fingers she's gone.

Am⁷   Am/D D⁷sus⁴
At the foot of the mountain,

Am⁷   Am/D D⁷sus⁴
Such a long way to climb.

Am⁷   Am/D D⁷sus⁴
How will I ever get up there?

 F⁶   Am G/A
But know I must try.

Chorus 2

F⁶   C
Baby, baby, baby won't you let me ride?

F⁶   C
Take me off on your sail boat ride.

F⁶   C
Come on now, angels are on your side,

   Am   D⁷ Am⁷ D⁷sus⁴
But she slips away, oh, and never stays.

Verse 3

Am⁷   Am/D D⁷sus⁴
Like a dream on the ocean,

Am⁷   Am/D D⁷sus⁴
Always drifting away.

Am⁷   Am/D
And I can't catch up,

   Am⁷ Am/D
She just slips away.

   Am⁷ D⁷
Oh, slips away,

   Am⁷ D⁷ Em Am⁷
Oh, slips away.

HOW DO YOU SLEEP

Words and Music by John Squire

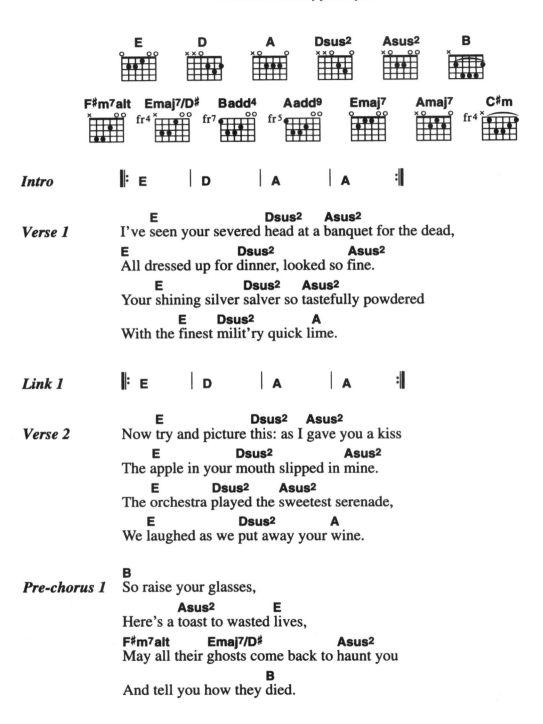

Intro

‖: E | D | A | A :‖

Verse 1

E   Dsus2   Asus2
I've seen your severed head at a banquet for the dead,

E   Dsus2   Asus2
All dressed up for dinner, looked so fine.

E   Dsus2   Asus2
Your shining silver salver so tastefully powdered

E   Dsus2   A
With the finest milit'ry quick lime.

Link 1

‖: E | D | A | A :‖

Verse 2

E   Dsus2   Asus2
Now try and picture this: as I gave you a kiss

E   Dsus2   Asus2
The apple in your mouth slipped in mine.

E   Dsus2   Asus2
The orchestra played the sweetest serenade,

E   Dsus2   A
We laughed as we put away your wine.

Pre-chorus 1

B
So raise your glasses,

Asus2   E
Here's a toast to wasted lives,

F#m7alt   Emaj7/D#   Asus2
May all their ghosts come back to haunt you

B
And tell you how they died.

Chorus 1

   (B)   **E**   **Badd⁴**   **Aadd⁹**   **Badd⁴**

How do you sleep, how do you last the night and keep the dogs at bay?

          E   **Badd⁴**   **Aadd⁹**   **Badd⁴**

How do you feel when you close your eyes and try to drift away?

         Emaj⁷ **F♯m⁷alt**   **Emaj⁷/D♯** **F♯m⁷alt**

Does it feel any better now, does it mean any more?

           E   **F♯m⁷alt**   **Amaj⁷**

When the angel of death comes knock, knocking

     B   **E**

And banging at your door?

Link 2   ‖: **E** | **D** | **A** | **A**   :‖

Verse 3

         E   **Dsus²** **Asus²**

When all the fun was over,   I put you on my shoulder,

E   **Dsus²**   **Asus²**

Took you home away from it all.

E   **Dsus²**   **Asus²**

Shot down and claimed, mounted and framed,

E   **Dsus²**   **A**

Tastefully hung up on my wall.

Pre-chorus 2

          B

Are my dreams your nightmares?

     Asus²   **E**

I hope they all come true.

     F♯m⁷alt   **Emaj⁷/D♯**   **Asus²**

Get off your knees, the party's over,

                 B

I'm coming home to you.

Chorus 2   As Chorus 1

Guitar solo | **E** | **B** | **Asus²** | **E** | **F♯m⁷alt** | **Emaj⁷/D♯** |

                  | **Aadd⁹** | **Aadd⁹** | **Badd⁴** | **Badd⁴** ‖

Chorus 3   As Chorus 1

Coda | **D** | **C♯m** | **B** | **E**   ‖

           At your door.

I WANNA BE ADORED

Words and Music by Ian Brown and John Squire

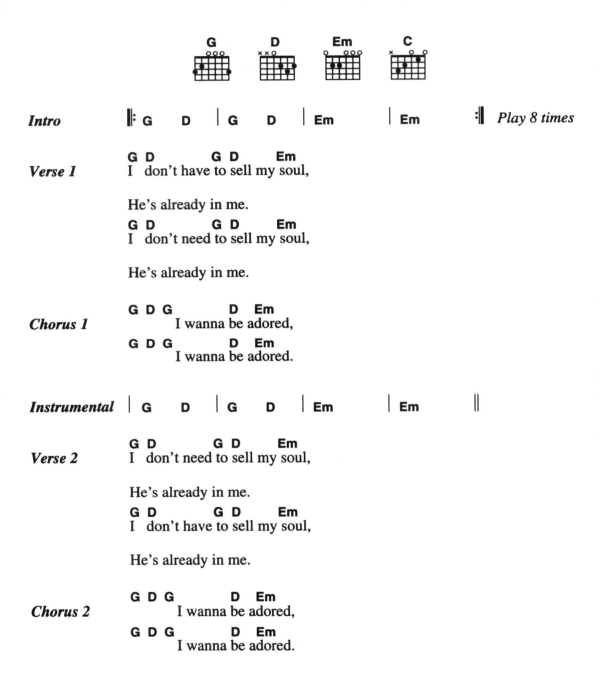

Intro   ‖: G   D | G   D | Em | Em   :‖   *Play 8 times*

Verse 1
G D   G D   Em
I don't have to sell my soul,

He's already in me.
G D   G D   Em
I don't need to sell my soul,

He's already in me.

Chorus 1
G D G   D Em
    I wanna be adored,
G D G   D Em
    I wanna be adored.

Instrumental | G   D | G   D | Em | Em   ‖

Verse 2
G D   G D   Em
I don't need to sell my soul,

He's already in me.
G D   G D   Em
I don't have to sell my soul,

He's already in me.

Chorus 2
G D G   D Em
    I wanna be adored,
G D G   D Em
    I wanna be adored.

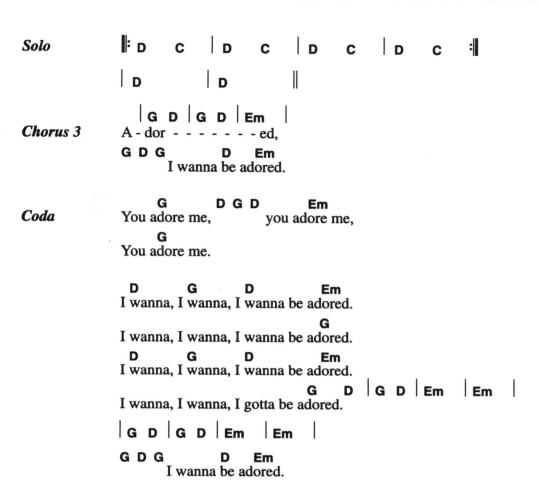

Solo ‖: D C | D C | D C | D C :‖

| D | D ‖

| G D | G D | Em |

Chorus 3 A - dor - - - - - - - ed,

G D G D Em
   I wanna be adored.

Coda
      G   D G D   Em
You adore me,   you adore me,
      G
You adore me.

   D   G   D   Em
I wanna, I wanna, I wanna be adored.
                  G
I wanna, I wanna, I wanna be adored.
   D   G   D   Em
I wanna, I wanna, I wanna be adored.
             G D | G D | Em | Em |
I wanna, I wanna, I gotta be adored.

| G D | G D | Em | Em |

G D G   D Em
   I wanna be adored.

WATERFALL

Words and Music by Ian Brown and John Squire

Chords: F# F#sus4 B Bmaj7 G#m C# C#7sus4 C#m7 E Emaj7

Intro

| F# F#sus4 | F# F#sus4 | F# F#sus4 | F# F#sus4 ||

Verse 1

F# F#sus4   F# F#sus4
Chimes sing Sunday morn,___

  F# F#sus4   F# F#sus4
Today's __ the day she's sworn __

    B   Bmaj7   G#m
To steal what she never could own

    B   Bmaj7   C# C#7sus4 | F# F#sus4 | F# F#sus4 ||
And race from this hole she calls home.

Verse 2

F# F#sus4   F# F#sus4
Now __ you're at the wheel,___

    F# F#sus4   F# F#sus4
Tell me how, __ how does it feel? ___

    B   Bmaj7 G#m
So good to have equal - ised,

    B   Bmaj7   C# C#7sus4 | F# F#sus4 | F# F#sus4 ||
To lift up the lids of your eyes.

Verse 3

      F# F#sus4   F# F#sus4
As the miles __ they disappear, ___

    F# F#sus4   F# F#sus4
See land __ begin to clear __

  B   Bmaj7   G#m
Free from filth and the scum.

    B   Bmaj7   C# C#7sus4 | F# F#sus4 | F# F#sus4 ||
This American satellite's won.

Chorus 1

E   Emaj7   C#m7
She'll carry on through it all,

              F# F#sus4 | F# F#sus4 |
She's a waterfall.

E   Emaj7   C#m7 C#7sus4
She'll carry on through it all,

              F# F#sus4 | F# F#sus4 ||
She's a waterfall.

Verse 4

F# F#sus4   F#   F#sus4
See __ the steeple pine, ____

      F# F#sus4   F#   F#sus4
The hills __ as old as time, __

B   Bmaj7   G#m
Soon to be put to the test,

        B   Bmaj7   C# C#7sus4 | F# F#sus4 | F# F#sus4 ||
To be whipped by the winds of the west.

Verse 5

F# ·F#sus4   F#   F#sus4
Stands __ on shifting sands, ____

      F#   F#sus4   F#   F#sus4
The scales __ held in her hands. ____

     B   Bmaj7   G#m
The wind it just whips her and wails

        B   Bmaj7   C# C#7sus4 | F# F#sus4 | F# F#sus4 ||
And fills up her brigantine sails.

Chorus 2   As Chorus 1

Outro | G#m | B | G#m | B   C# |

            ||: F# | F# | F# | F#   :|| *Ad lib. to fade*

4 A.M.

Words and Music by Simon Friend, Charles Heather, Mark Chadwick, Jonathon Sevink and Jeremy Cunningham

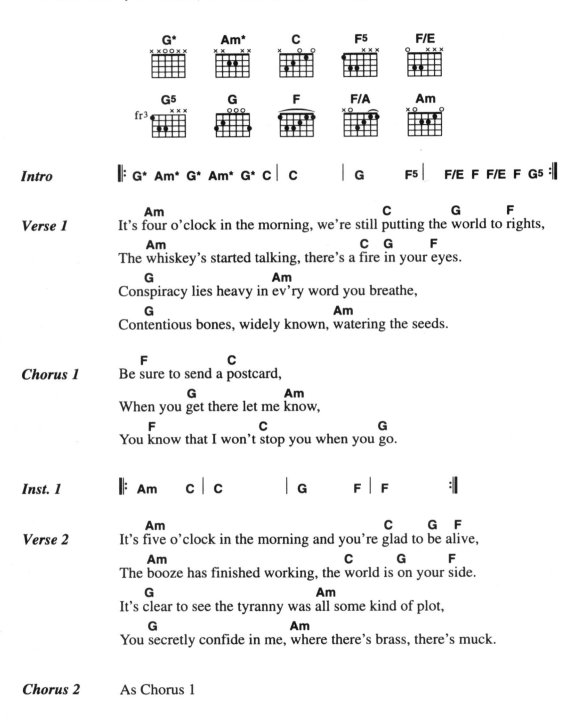

Intro

‖: G* Am* G* Am* G* C | C | G F5 | F/E F F/E F G5 :‖

Verse 1

 Am   C   G   F
It's four o'clock in the morning, we're still putting the world to rights,
 Am   C   G   F
The whiskey's started talking, there's a fire in your eyes.
 G   Am
Conspiracy lies heavy in ev'ry word you breathe,
 G   Am
Contentious bones, widely known, watering the seeds.

Chorus 1

 F   C
Be sure to send a postcard,
          G   Am
When you get there let me know,
 F   C   G
You know that I won't stop you when you go.

Inst. 1

‖: Am   C | C | G   F | F   :‖

Verse 2

 Am   C   G   F
It's five o'clock in the morning and you're glad to be alive,
 Am   C   G   F
The booze has finished working, the world is on your side.
 G   Am
It's clear to see the tyranny was all some kind of plot,
 G   Am
You secretly confide in me, where there's brass, there's muck.

Chorus 2   As Chorus 1

Chorus 3

            F   **C**
Be sure to send a postcard,

                  G   **Am**
When you get there let me know,

      F   **C**   **G**
I hope that you can make it on your own.

‖: G* Am* G* Am* | G* Am* G* Am* | G* Am* G* Am* | C G :‖

‖: Am   C | C | G   F | F   G :‖   *Play 4 times*

Verse 3

            Am   **C**   **G**   **F**
It's six o'clock in the morning and there's nowhere left to hide,

Am   **C**   **G**   **F**
Now we've seen the dawn in, all that's left is our goodbyes.

       G   **Am**
It's hard to see the sanity in what we call our lives,

G   **Am**
Sometimes it seems that you just need to follow what's inside.

Chorus 4

            F   **C**
Be sure to send a postcard,

                  G   **Am**
When you get there let me know,

      F   **C**   **G**
You know that I won't stop you when you go.

Chorus 5

            F   **C**
Be sure to send a postcard,

                  G   **Am**
When you get there let me know,

      F   **C**   **G**
I hope that you will make it all alone.

Chorus 6

            F   **C**
Be sure to send a postcard,

                  G   **Am**
When you get there let me know,

      F   **C**   **G**
I hope that you can make it on your own.

ANIMAL NITRATE

Words and Music by Brett Anderson and Bernard Butler

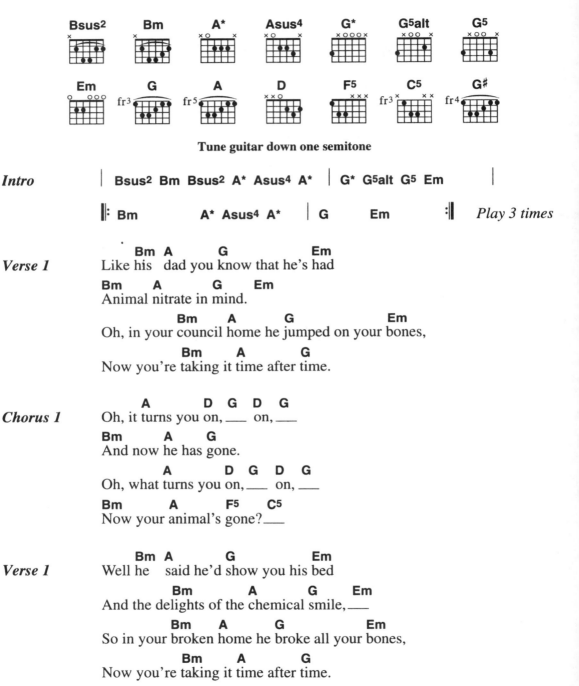

Tune guitar down one semitone

Intro | Bsus² Bm Bsus² A* Asus⁴ A* | G* G5alt G5 Em |

‖: Bm   A* Asus⁴ A* | G   Em   :‖   *Play 3 times*

Verse 1
      Bm A   G   Em
Like his dad you know that he's had
Bm   A   G   Em
Animal nitrate in mind.
           Bm   A   G   Em
Oh, in your council home he jumped on your bones,
           Bm   A   G
Now you're taking it time after time.

Chorus 1
        A   D G D G
Oh, it turns you on, ___ on, ___
Bm   A   G
And now he has gone.
         A   D G D G
Oh, what turns you on, ___ on, ___
Bm   A   F5   C5
Now your animal's gone? ___

Verse 1
        Bm A   G   Em
Well he   said he'd show you his bed
           Bm   A   G   Em
And the delights of the chemical smile, ___
             Bm   A   G   Em
So in your broken home he broke all your bones,
           Bm   A   G
Now you're taking it time after time.

Chorus 2

       A   D G D G
Oh, it turns you on, ___ on, ___

Bm   **A**   **G**
And now he has gone.

         A   **D** **G** **D** **G**
Oh, what turns you on, ___ on, ___

Bm   **A**   **F5**   **C5**
Now your animal's gone?___

Solo

| Bm G | G♯ G | Bm G | G♯ G |

| Bm G | G♯ G | Bm G | G♯ G ‖

Chorus 3

  A   **D** **G** **D** **G**
  What does it take to turn you on, ___ on, ___

Bm   **A**   **G**
  Now he has gone?

           A   **D**   **G** **D** **G**
Now you're over twenty one? ___ Oh, ___

Bm   **A**   **G**
Now your animal's gone?

Outro

  (G) **D**   **G**   **D**   **G**
‖: Animal, he was animal, ___

        Bm **A**   **G**
An animal, ___ oh. :‖ *Repeat to fade with vocal ad lib.*

STILL LIFE

Words and Music by Brett Anderson and Bernard Butler

| Dsus2 | Dsus4 | D | G | Em |

| Bᵇmaj7 | A7 | A | F6 | Bᵇ | Gm |

Tune guitar down one semitone

Intro

| Dsus2 | Dsus4 D | G | G | |

| Em | Bᵇmaj7 A7 | A7 | A7 | ||

Verse 1

     Dsus2 Dsus4 D
This still   life _____

  G
Is all I ever do,

Em   Bᵇmaj7   A   Dsus4 D
There by the window quietly killed for you.

     Dsus2 Dsus4 D
In this glass house_____

    G
My insect life

Em   Bᵇmaj7   A   D
Crawling the walls under electric lights.

    F6   Em
I'll go into the night,

     A7
Into the night,

F6   Em
She and I _____

    A7
Into the night.

Verse 2

Dsus2 Dsus4 D
Is this still   life _____

G
All I'm good for too?

Em   B♭maj7   A   Dsus4 D
There by the window quietly killed for you.

Dsus2 Dsus4 D
And they drive   by _____

G
Like insects do,

Em
They think they don't know me,

B♭maj7   A   D
They hired a car for you.

F6   Em
To go into the night,

A7
Into the night,

F6   Em
She and I _____

A7
Into the night.

Verse 3

Dsus2 Dsus4 D
And this   still life _____

G
Is all I ever do,

Em   B♭maj7   A   Dsus4 D
There by the window quietly killed for you.

Dsus2   G
And this still life is all I ever do,

Em B♭   A   D   A7
But it's still, still _____ life,

D   G   Gm
But it's still, still life,

Em A Dsus2 D Dsus2 D A7
But it's still, still life.

Instrumental

| Dsus2 | D | G | G | Em | B♭ A |

| D | A7 | Dsus2 | D | G | G |

| Em | A7 | D | A | A | A |

| Dsus2 | Dsus2 | Dsus2 | Dsus2 | Dsus2 | Dsus2 | D ‖

BEAUTIFUL ONES

Words and Music by Brett Anderson and Richard Oakes

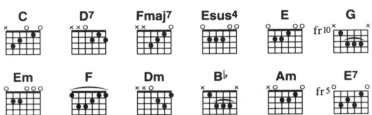

Tune guitar down one semitone

Intro ‖: C | D7 | Fmaj7 | Esus4 E :‖

Verse 1

     C   **D7**
Ooh, high on diesel and gasoline,

      Fmaj7
Psycho for drum machine,

      Esus4   **E**
Shaking their bits to the hits, oh.

C   **D7**
Drag acts, drug acts, suicides,

      Fmaj7
In your dad's suit you hide,

      Esus4 E
Staining his name again, oh.

Verse 2

     C   **D7**
Cracked up, stacked up, twenty-two,

      Fmaj7
Psycho for sex and glue,

      Esus4 E
Lost it in Bostik, yeah.

      C   **D7**
Oh, shaved heads, rave heads, on the pill,

      Fmaj7
Got too much time to kill,

      E   **G**
Get into the bands and gangs, oh.

Chorus 1

C
Here they come,
    Em
The beautiful ones,
    F
The beautiful ones,
Dm B♭
La la la la.
C
Here they come,
    Em
The beautiful ones,
    F
The beautiful ones,
Dm B♭ Am E7
La la la la la, la la.

Verse 3

C   D7
Loved up, doved up, hung around,
       Fmaj7
Stoned in a lonely town,
       Esus4   E
Shaking their meat to the beat, oh.
C   D7
High on diesel and gasoline,
       Fmaj7
Psycho for drum machine,
       Esus4   E   G
Shaking their bits to the hits, oh.

Chorus 2

C
Here they come,
    Em
The beautiful ones,
    F
The beautiful ones,
Dm B♭
La la la la.
C
Here they come,
    Em
The beautiful ones,
    F   Dm
The beautiful ones, oh oh.

Bridge

B♭   C
You don't think about it,

               Em
You don't do without it,

            F   Dm
Because you're beautiful, yeah, yeah.

B♭   C   Em
  And if your baby's going crazy,

            F   Dm
That's how you made me, la la.

B♭   C   Em
  And if your baby's going crazy,

            F   Dm
That's how you made me, woah woah,

B♭   C   Em
  And if your baby's going crazy,

            F
That's how you made me,

Dm   B♭ Am E7
La la, la la, la. La, la.

Outro

    C   D7
‖: La la la la, la,

            Fmaj7
La la la la la, la.

            Esus4
La la la la la la,

    E
La la la, oh. :‖   *Repeat to fade*